什麼意思？

SDGs之所以會被制定出來，目的是為了讓全世界所有人同心協力一起解決存在於這個世界上的各式各樣問題，像是維護自然環境、消滅歧視跟暴力……。

但也因為這個世界太大了，所以小朋友們很容易覺得這些問題很困難，產生「小孩子幫不上什麼忙」的想法，不過，想改變這個世界，其實還是有許多我們可以參與的行動。

首先就先從家中、社區和學校，我們每天的生活環境當中來找出「提示」，進一步發現「我們能參與的行動」吧。

接著，你可以試著針對其中任何一項付諸「行動」，積極的去嘗試自己能辦得到的事吧！

生活中隨手就能達成的目標！

SDGs就在你身邊

2

社區實踐篇

監修 關 正雄

編撰 WILL兒童智育研究所

翻譯 李佳霖

審訂 何昕家 臺中科技大學通識教育中心副教授

察覺身邊的提示

SDGs 是為了解決全球性的問題所立定的目標，目的是要讓所有人在未來能擁有比現在更好的生活。

而要解決 SDGs 目標中的問題，第一步就是從察覺身邊的提示開始做起喔！

去思考平常習以為常的事物是不是「有哪裡不對勁」，或是去關注異於平常的事物。

去思考不對勁現象背後的原因，是連結到 SDGs 的關鍵，如此一來，大家就會去思考「得想辦法加以解決」。

本書重點

書中會給出各式各樣的提示，並介紹相關的行動範例。

以下這個例子是我們在日常生活情境中所可能發現到的提示。

不在乎食材的產地。

付諸行動！

藉由提示去找到自己所辦得到的事，並且付諸行動。

每個人所採取的行動都能為 SDGs 盡到一份心力，協助問題的解決喔！

你可以試著藉由這一套書來練習如何發現身邊的提示以及如何付諸行動！

以下這個例子是藉由提示所激發出的行動。

目錄

生活中隨手就能達成的目標！

SDGs 就在你身邊

2 社區實踐篇

不管是在家裡、社區或是學校，在每天的日常生活中，我們都能為 SDGs 盡一份心力。

在第二冊中將會介紹搭火車時、在公園玩時等，各種可以在社區中實踐的 SDGs 。

讓我們試著跟家人一起共同參與吧！

▼問題可獲得解決的 SDGs 目標

專欄

哪些國家的無障礙空間發展的特別好？

▼問題可獲得解決的 SDGs 目標

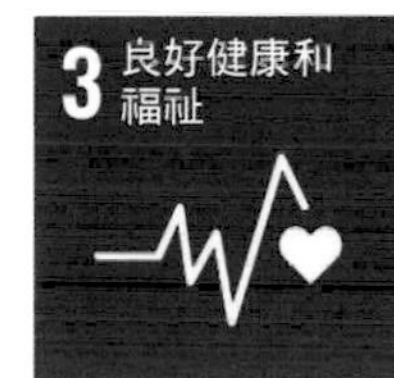

專欄

日漸增加的共融式公園

▼問題可獲得解決的 SDGs 目標

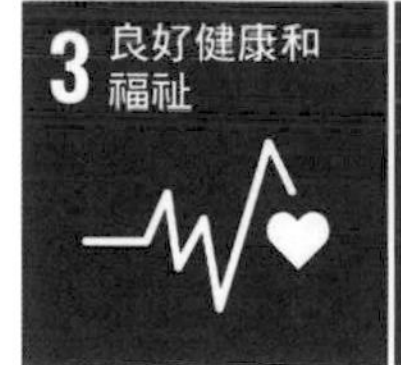

專欄

關注利用自然資源生產的能源

▼問題可獲得解決的 SDGs 目標

專欄

有可能從地球上消失的生物

SDGs
透過提示
激發行動！

行走 在路上的時候①

我們平常走在路上時，其實有許多可以實踐 SDGs 的行為喔。看看圖中給的提示，一起想想可以採取什麼行動。你我的一個小行動，將會是改變世界的第一步！

打招呼是與人來往的基本禮貌，走在路上時若碰到鄰居或是認識的人，務必要記得打招呼。當面打招呼時可以看到對方的狀態，並察覺他們是否碰到困擾，或是有沒有需要幫助的地方，有助於建立起彼此互相關懷的關係。

試著關心自己周遭的人將有助於實踐 SDGs 的**目標 17（夥伴關係）**。

踴躍參加鄰里活動！

我們所生活的社區鄰里常常會舉辦不少活動，因為在這些活動上可以看到各個年齡層的人，所以參加社區活動就能認識各種不同世代的人喔。

河邊的告示牌上常會標示「當水位高漲時要小心」的警語，因為溫室效應帶來的暴雨跟強烈颱風等天災，在任何地方都有可能發生，因此防災意識非常重要。

部分地區會發行「防災地圖」，整理易發生災害的危險地段以及避難場所，而索取防災地圖就是一項防災方法。確認防災地圖，並事先和家人討論或是約定災害發生的避難處，有助於達成 SDGs 中的目標 13（氣候行動）喔。

使用居住地的機構與設施將有助於達成 SDGs 中的目標 9（產業創新與基礎設施）。

比方說許多鄉鎮市區有推出將不同地點串連起來的地區巴士，這些巴士很多都是由各個鄉鎮市區自行營運的，而搭乘時所支付的車資會成為鄉鎮市區的收入，有助於當地產業的發展。

*「基礎設施」指的是道路、電力等，我們生活中所需的最基本的設施與建設。

我們走在路上經常可以看到像是維護地區安全的人、販賣食品或是物品的人，或是為大家搬貨、送貨等不同職業的人。

觀察並了解各式各樣的工作，並且去思考自己未來的職業，將有助於實踐 SDGs 中的**目標 8（尊嚴就業與經濟發展）**。找到能帶給自己成就感的工作不僅能充實自己的人生，同時也能促進經濟的發展。

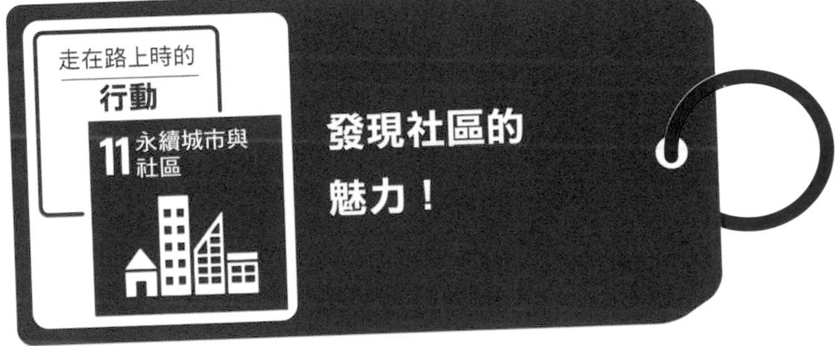

你居住的城市中有沒有知名的歷史景點、名產或是工藝品呢？每個城市都有讓人引以為傲的自然風景或是美麗的景色，而身為當地的居民，我們應該好好珍惜當地的特色。

去認識自己所居住的城市魅力，將有助於達成 SDGs 中的**目標 11（永續城市與社區）**。如果每個人都能喜歡自己的城市，不僅能讓當地的氛圍變得和樂，生活起來也會更開心。

更進一步的SDGs行動！

二氧化碳的排放量有可能降低嗎？世界各地的對策——

有「獎賞」可拿的獨特對策

降低二氧化碳的排放量對於世界各國來說，都是很重要的課題，更有許多城市為此做出不少努力。

例如芬蘭的拉赫蒂就採取了相當獨特的對策，他們運用智慧型手機的應用程式，記錄每位市民的移動方法以及二氧化碳排放量，並且針對移動時避免使用會排放出二氧化碳的家用汽車的市民，贈送公車車票或是食品兌換券等。

其他城市的對策

規劃腳踏車專用道

丹麥的哥本哈根規劃出了一條全長約 350 公里的腳踏車專用道，是市民們經常利用的一條道路喔。

零包裝的超市

在德國的柏林，現在有一種無包裝食物秤重販賣的超市非常受到歡迎。客人在購買商品時會自行攜帶容器，而這樣的銷售方式正逐漸在全德國普及。

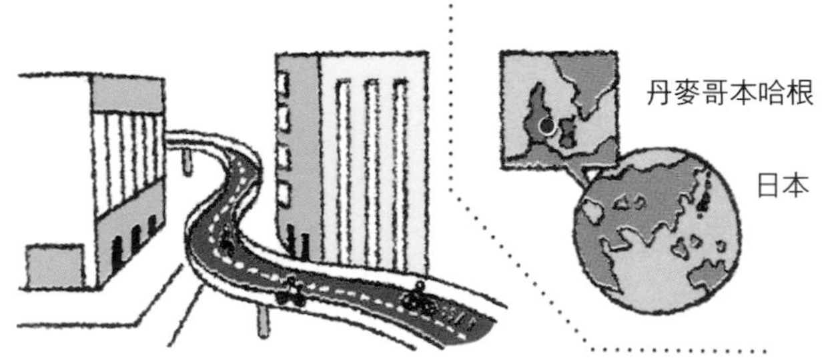

我們還能做更多！

- 在臺灣也有許多城市為了降低二氧化碳排放量，採取減碳行動，去查查看自己所居住的城市採取了怎麼樣的對策吧。

SDGs
透過提示
激發行動！

外出購物的時候

我們平常購物的時候，就有許多可以實踐 SDGs 的行為。看看圖中給的提示，一起想想可以採取什麼行動。你我的一個小行動，將會是改變世界的第一步！

塑膠袋是用石油製成的塑膠製品之一。塑膠耐用且能加工成各式各樣的形狀非常方便，所以常被製作成各種日常生活用品。但為了要製造出塑膠製品，不但導致石油被不斷的消耗，還排放出二氧化碳，加重了溫室效應。

因此，避免使用店家提供的塑膠袋將有助於達成 SDGs 的**目標 7（可負擔的潔淨能源）**，外出購物時務必要帶上環保購物袋喔！

購物提供的塑膠袋當成垃圾燒掉，會排放出導致溫室效應的二氧化碳；若是直接丟棄，不慎掉入河川並進入大海，則會危害海洋生態。

讓我們養成使用環保購物袋的習慣。

其他可以減少的塑膠垃圾

除了店家提供的塑膠袋以外，也試著重新檢視一下其他塑膠包裝。比方說與裝在塑膠托盤上的生鮮食材相比，只使用塑膠袋包裝塑膠用量會比較少；另外，最好也盡量避免索取塑膠餐具。

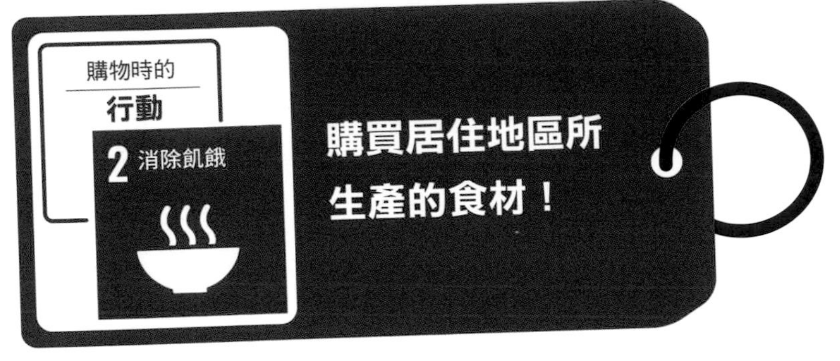

購買居住地區所生產的食材稱作是「地產地消」。「在地生產、在地消費」的概念不僅能讓我們品嚐到最新鮮的食材，同時也有助於當地的生產者維持生計，並壓低運送時所需的費用和消耗的能源。

當地生產者的生計獲保障，食材的供應就會穩定。因為食材持續不間斷的生產，才能讓我們與 SDGs 的**目標 2（消除飢餓）**的實踐更加靠近。

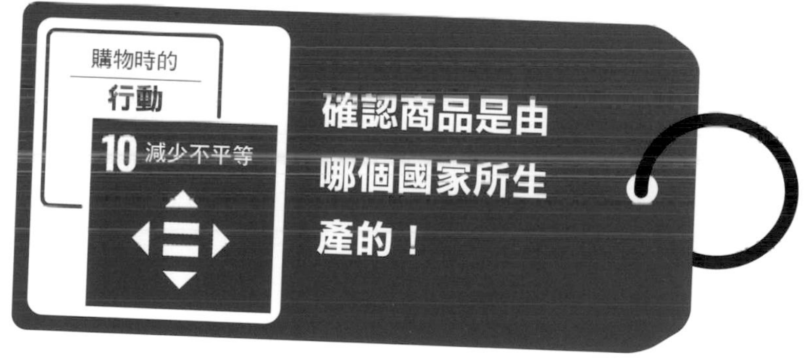

為什麼咖啡和巧克力這些從國外進口的食品有時候反而賣得很便宜呢？這是因為它們大部分都是產自開發中國家*。為了能在這些地方便宜的生產商品，工人的薪水通常都被壓得很低。

當你覺得進口食品很便宜時，試著去思考背後的原因，如此一來就有可能找到解決 SDGs **目標 10（減少不平等）**背後問題的線索。

*開發中國家指的是在經濟與產業發展上相對落後的國家，目前住在開發中國家的人口占了全世界總人口的八成以上（參考資料來源：日本國際協力機構）。

保存期限指的是食品在特定儲存條件下，可保持產品價值的期間。有效期限則是指市售包裝食品在特定儲存條件下，可保持產品價值與安全食用的最終期限。賞味期限通常代表食品可保持最佳的風味及品質的時間點，但並非代表超過此時間點便腐敗而不可食用。

大家購買食品時，習慣選最佳食用期限較遠的商品，因此商家會將最佳食用日期快到期的商品報廢處理。購買食品前，思考什麼時候會吃，有助於我們達成 SDGs 的**目標 12（負責任的消費與生產）**。

*不管是任何商品，只要開封後品質就會下降，所以不管期限是到什麼時候，只要是打開包裝的食品，都最好盡早吃完。

挑選前排的商品

你有聽說過「前排先拿」這句話嗎？店家通常會將快到最佳食用日期的商品陳列在架上的前排，而這句話就是要呼籲大家如果是購買馬上就會吃的東西，就盡量挑選前排的商品。你要不要也試試看「前排先拿」呢？

更進一步的SDGs行動！

有助於解決貧窮問題的公平貿易

開發中國家的生產者無法獲得公正的報酬

由於開發中國家和已開發國家所進行的交易不對等。相對於原料與產品的價值或是所付出的勞力，開發中國家的生產者無法得到公平的報酬，導致他們很難脫離貧窮狀態。

為了改變開發中國家人民的生活，「公平貿易」這樣的想法因此普及開來並訂定交易的規則，像是必須以公正的價格進行交易，或是要善待勞工等。

不公平的交易所引發的後果

生產者的過度勞動

生產者為了能獲取足夠的工資，被迫長時間工作。

童工問題

孩童為了幫助家計而放棄上學，成為廉價的童工。

環境遭到破壞

為了提升產量大量使用農藥，造成當地環境的破壞。

我們還能做更多！

● 以公平交易方式所交易的商品上會印有「國際公平貿易認證標章」（如右圖所示），去找找看有哪些商品印有這樣的標誌吧！

SDGs
透過提示
激發行動！

搭乘 大眾交通工具時

當我們在搭乘火車或公車等大眾交通工具時，其實有許多可以實踐 SDGs 的行為。看看圖中給的提示，一起想想可以採取怎麼樣的行動。你我的一個小行動，是改變世界的第一步！

火車、公車和捷運站都是「公共場所」，我們可以注意自己的行為是否有助於營造出舒適的公共空間。就像我們搭火車時，如果碰到老人家或是孕婦上車，此時車上如果沒有空位的話，我們可以讓座給他們。

SDGs 的**目標 5（性別平等）**所追求的就是建立起所有人的權利都能獲得保障的社會。善待老人家跟行動不方便的人，有助於達成這項目標。

你有聽說過「求助標誌」嗎？身上掛有求助標誌牌的人，意味著他需要身旁的人給予關懷與協助。

如果看到有人身上掛著求助標誌牌，可以讓座給他們，或是主動向他們詢問「身體狀況還好嗎」或是「有沒有需要幫助的地方」。

這樣的行為將有助於實踐 SDGs 中的**目標 3（良好健康和福祉）**。

導盲磚可以幫助視障者和視力衰弱的人辨識道路，當他們透過腳底或是拐杖觸碰到導盲磚時，就能知道該如何前進。如果我們在導盲磚上放東西或是占據住導盲磚，會導致視障者無法通行，應該避免這樣的行為。

為了讓大家能安心生活，我們應該要留意小地方，如此一來將有助於實踐 SDGs 的**目標 11（永續城市與社區）**。

前進

直線導盲磚代表「前進」。

停下腳步、小心

圓點導盲磚代表「停下腳步」或「小心」。

車站以及月臺的巧思

你是否曾在車站或是月臺聽到過「叮咚」或是「啾啾」這樣的聲音呢？這樣的巧思其實是為了讓視障者可以辨識出剪票口或是樓梯、電扶梯的位置喔。車站裡或是月臺上還有許多其他為了身心障礙者所設計的巧思，試著去觀察看吧！

SDGs中的目標16（和平正義與有力的制度）之所以會被制定，為的是要消除所有社會上的暴力，而為了實現這樣的目標，當我們看到有人被施加暴力或是被騷擾時，可以馬上讓周圍的人知道。

火車中設有「緊急按鈕」，當車廂內發生衝突時，我們可以透過緊急按鈕來通知駕駛員或是列車長。如果你在火車上看到有人使用暴力的話，可以試著拜託身旁的大人按下緊急按鈕。

碰上麻煩時，利用對講機聯絡站員

許多車站的月臺上設有可以聯繫站務員的對講機，當有東西掉到軌道上，或是在月臺候車時身體感到不舒服的話，都可以使用對講機聯繫喔。

更進一步的SDGs行動！

哪些國家的無障礙空間發展的特別好？

無障礙空間的存在理所當然

歐洲和美國是無障礙空間特別發達的國家，對於這些國家的人民來說，無障礙空間並不特別，是相當理所當然的存在。

身障者如果無法跟無障礙者一樣在道路上自由行走或是利用各種設施機構，這就是「不平等」。大家也可以試著用這樣的觀點來觀察身邊的設施機構，說不定會有不少新的發現。

已開發國家的對策

心中的無障礙空間

英國有許多建築物設有輪椅專用的出入口、坡道和多功能廁所，只要看到坐輪椅的人要搭車時，有不少人就會主動上前幫忙。

坐輪椅上海灘

為了讓坐輪椅的人也能接近大海，美國夏威夷不少海灘都設有無障礙斜坡道，甚至提供沙灘專用輪椅的租借。

我們還能做更多！

- 大家可以思考一下，自己所居住的城市是否有身障者難以使用的機構或設施。

SDGs
透過提示
激發行動！

在公園玩時

當我們在公園玩時，其實有許多可以實踐 SDGs 的行為。看看圖中給的提示，一起想想可以採取什麼行動。你我的一個小行動，是改變世界的第一步！

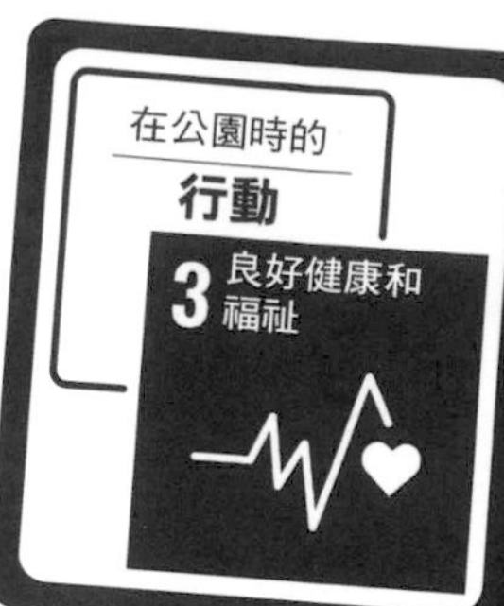

把遊樂器材讓給年紀比較小的小朋友！

玩遊戲會盡情的活動身體，不但達到運動效果，心情也會感到相當舒暢，這一點對於任何年紀的小朋友來說都一樣。

盡量把遊樂器材讓給年幼的小朋友，或是跟他們輪流使用，如此一來大家都能平等的玩耍。雖然只是微小的體貼行為，但卻有助於達成 SDGs 的目標 3（良好健康和福祉）！

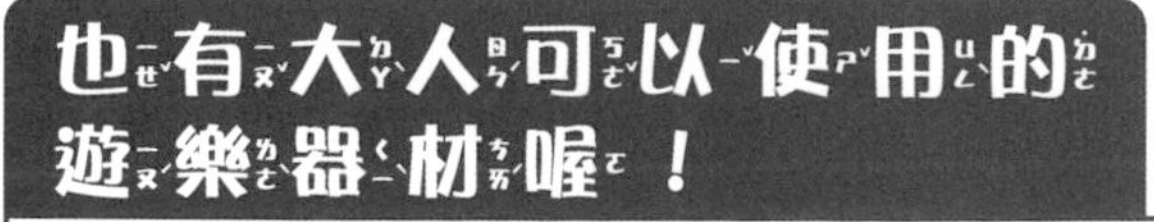

也有大人可以使用的遊樂器材喔！

有些公園裡也有大人專用的「健身器材」，這些器材可以幫助身體伸展、鍛鍊肌肉，當然小朋友也能使用！全家人一起挑戰的話，想必會很開心。

公園不僅是附近居民的遊樂場，也是大家休閒或是舉辦活動的空間，在碰上災難發生時，公園還能化身為我們避難的場所。

為了讓所有人都能盡興的使用公園，各個公園管理單位會制定一些規則，遵守這些規則也是有助於達成 SDGs 的**目標 11（永續城市與社區）**的行動。

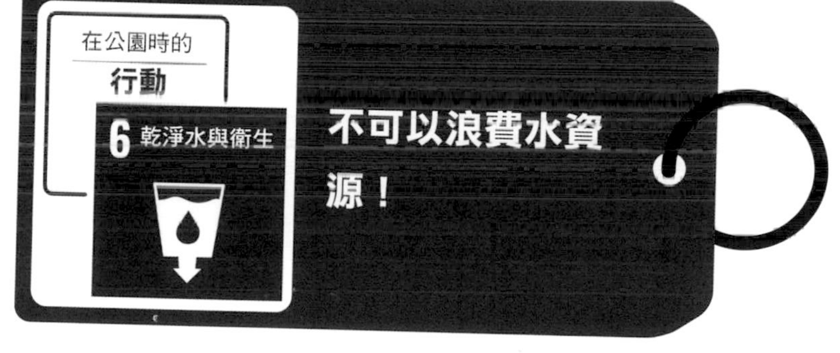

應該有不少人理所當然的認為，只要轉開水龍頭，水就會源源不斷流出來，但是在地球的水資源中，能夠讓人類拿來飲用或是沖馬桶等日常生活的用水，其實只占了其中的 0.01%。

所以我們不能浪費水資源，用完水後，水龍頭一定要拴緊，這樣的舉動，就能讓我們更加接近 SDGs 的**目標 6（乾淨水與衛生）**。

公園裡頭有相當多的花草樹木，吸引許多的昆蟲與鳥類，換句話說，公園是相當適合觀察植物和生物的地點，所以當我們進到公園時，也可以試著注意一下公園內的自然環境。

對自己周遭的環境產生好奇和疑問，像是去思考「螞蟻是怎麼樣築巢的」或「這朵花是什麼時候開花」，能帶領我們踏上探索的學習旅程，同時也有助於實踐 SDGs 的**目標 4（優質教育）**。

傾聽自然的聲音！

在公園中只要仔細聆聽，就可以聽見風吹過樹葉的聲音，或是鳥叫聲，以及其他各式各樣的聲響。透過耳朵觀察自然環境，感受公園內的大自然，也是相當有趣的喔！

更進一步的SDGs行動！

日漸增加的共融式公園

怎麼樣的公園能讓所有人都玩得開心？

所謂的共融式公園，所指的是不管是否有身體上的障礙，每個人都能玩得開心的公園。共融式公園中有坐在輪椅上也能玩的沙坑，或是能跟陪伴者一起坐著玩的盪鞦韆，充滿了讓身障者也能樂在其中的巧思。共融式公園雖然起源於國外，但現在在臺灣也逐漸普及囉！

充滿巧思的遊樂器材

沙桌

沙桌指的是抬高到桌面高度的沙坑，讓坐輪椅的人也能輕鬆玩沙唷！

雙人盪鞦韆

雙人盪鞦韆將座椅空間加大，是能跟陪伴者一起坐的盪鞦韆。

床沿穩定的彈跳床

這種彈跳床的床沿相當穩定，並且也方便身障者從輪椅移動至彈跳床上。

我們還能做更多！

- 美國、歐洲、澳洲等國家現在非常積極的打造共融式公園，試著去查查看國外的共融式公園具有哪些巧思吧。

行走 在路上的時候②

走在路上時的
提示

將腳踏車停在禁停的地方。

走在路上時的
提示

將店家的餐點外帶。

我們平常走在路上時，其實有許多可以實踐SDGs的行為喔。看看圖中給的提示，一起想想可以採取怎麼樣的行動。你我的一個小行動，是改變世界的第一步！

你是否曾經因為覺得「反正只停一輛沒差」，所以就把腳踏車停放在不該停的地方呢？但是這輛腳踏車有時就會引發其他人做出相同的行為，把腳踏車停放在不適合的位置。

如果將腳踏車停放在行人的通道上，會導致小孩、老人或是坐輪椅的人難以通行，所以務必要將腳踏車停放在可以停放的地方。遵守公共規則是有助於實踐 SDGs 中的**目標 11（永續城市與社區）**。

當我們將食物或是飲料外帶時，會產生出許多像是塑膠杯、塑膠托盤、塑膠湯匙或是塑膠袋等垃圾。

請盡量選擇內用吧，這樣的行為將有助於減少塑膠垃圾，讓我們與 SDGs 的**目標 12（負責任的消費與生產）**實踐更加靠近。

我們走在路上時，可能會遇到外國人、信仰不同宗教的人，或是身障者。雖然這些人跟我們有很多的不同，但試著去接觸，並理解這就是「對方的風格」吧！

無論對方是什麼樣的人，其實都跟自己一樣是人類，理解到這一點將有助我們踏出實踐 SDGs 的**目標 10（減少不平等）**的第一步。

注意一下外語標示！

為了營造出外國人方便居住或旅行的環境，我們所居住的城市其實都有在標示上下功夫喔！比方說會標記各國的語言，或是採用能讓大家一眼就能理解某個設施位於何處的符號。

走在路上時的

行動

3 良好健康和福祉

盡量選擇爬樓梯！

人多的地方通常會有手扶梯或是電梯，但為了身體健康著想，最好還是盡量爬樓梯。

爬樓梯是很棒的運動，我們如果常選擇爬樓梯，電梯或手扶梯不但可以空出，更能有利於行動不方便的人使用，還能節約用電！讓我們透過這項一石三鳥的習慣來達成 SDGs 的**目標 3（良好健康和福祉）**吧！

讓我們一同提升搭乘電扶梯時的安全！

搭乘時保持靜止是搭電扶梯時的基本禮儀，在電扶梯上走動或是奔跑，不僅有可能撞到人，甚至還有可能導致對方受傷。

更進一步的SDGs行動！

關注利用自然資源生產的能源

可以反覆利用，所以不會傷害地球

水力、風力、太陽、地熱（火山的熱能）等由大自然供給的能源稱為「可再生能源」，可再生能源不會用光，所以能以不傷害地球的方式進行發電。

在臺灣的發電量中，有 8.3% 運用了可再生能源發電，但在其他主要國家中，丹麥的比例是 78%，加拿大是 68%，瑞典則是 67%，相較於臺灣都高出很多。我們該怎麼做才能拉近與其他國家的距離呢？

可再生能源的種類

借助大自然的力量，可以避免在發電的同時排放出會導致溫室效應的二氧化碳。

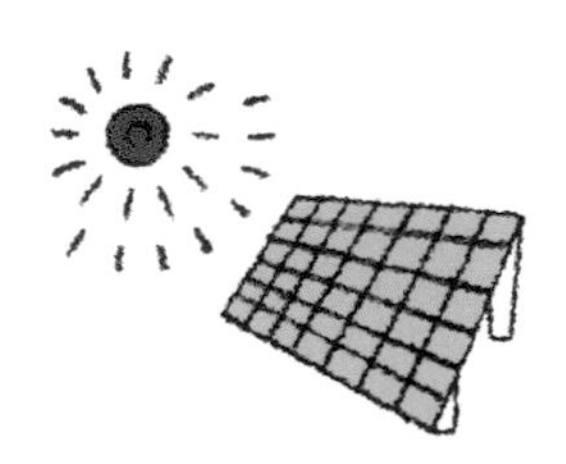

太陽能發電
透過太陽光來發電。

水力發電
透過水流的力量來發電。

風力發電
利用風力轉動發電機的葉片，進而發電。

地熱發電
透過火山岩漿的熱能來發電。

生質能發電
將生物資源加工，以製造燃氣來發電。

我們還能做更多！

- 在臺灣和日本最受到廣泛運用的可再生能源是太陽能發電，但太陽能發電是如何普及開來的呢？

參考資料來源：經濟部能源署

SDGs 透過提示激發行動！

到水族館參觀的時候

進到水族館時，其實有許多可以實踐 SDGs 的行為。你我的一個小行動，是改變世界的第一步！

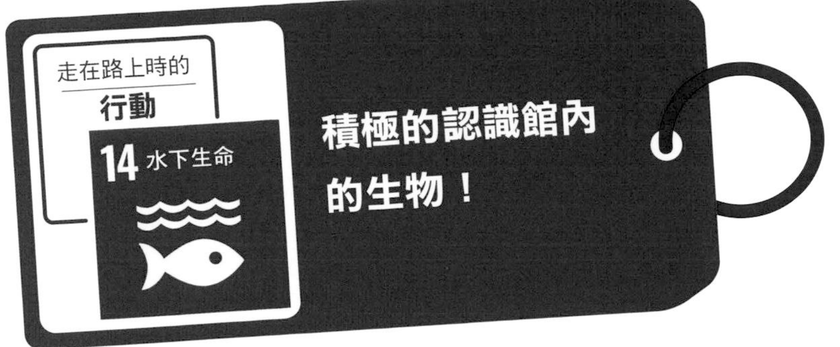

水族館中通常都會有展示生物的相關解說，只要閱讀這些內容，就能了解這些生物在大自然中的生存環境與飲食。

認識海洋生物的生活，就是連結到 SDGs 的**目標 14（水下生命）**的行動，此外，如果還能更進一步去思考如何保育海洋生物的話，就會讓我們與目標的實踐更加靠近。

跟家人或朋友互相分享新發現或是學習到的內容很有趣。

也推薦小朋友們向水族館的工作人員請教自己感到好奇的問題。

積極參加工作坊！

參加水族館或是動物園所舉辦的工作坊很好玩喔，參加工作坊能進到平常無法進入的地方，並從工作人員身上學習到專業知識。

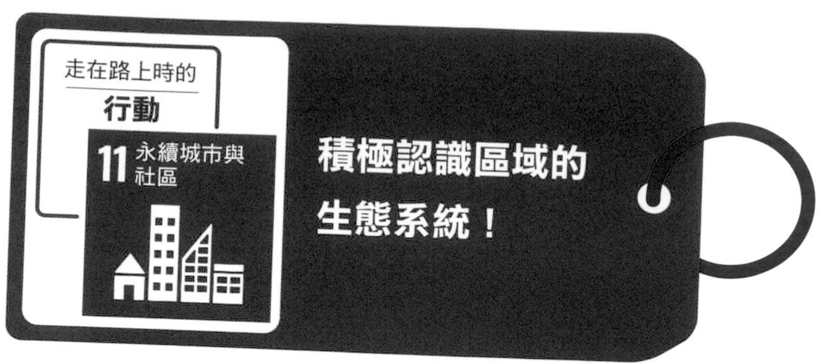

水族館同時也兼具保育當地生物的功能，如果水族館中有展示當地的水族生態，務必去逛一逛。只要觀察水槽中的樣貌，就能清楚認識自己的居住地具有哪些環境特色。

天氣、地形、地質以及海流等自然環境是會隨著地區不同而有所變化，想一想在不同的自然環境中可以孕育出哪些生物，也有助於我們實踐 SDGs 的**目標 11（永續城市與社區）**。

有好多海藻！

好適合魚類生存的環境！

當地的海洋生態

也試著積極的關注地方的植物！

你所居住的地區能生產出哪些蔬菜與水果呢？農產品是大自然所賜予的恩惠，所以只要去調查自己的家鄉盛產哪些農產品，以及這些農產品是如何生產的，肯定就能清楚認識家鄉的特色！

更進一步的SDGs行動！

有可能從地球上消失的生物

砍伐森林樹木導致動物們無家可歸

目前地球上的野生動物中，大約有 4 萬種面臨滅絕危機，而「滅絕」的意思就是絕種，並從這個世界上消失。野生動物會滅絕的主要原因之一是無家可歸，這是因為人類為了要取得耕種用地、牧場用地，又或者是為了獲得木材，於是拚命砍伐叢林的樹木。

人類也是地球上動物的一分子，不能只把自己的需求放在優先。

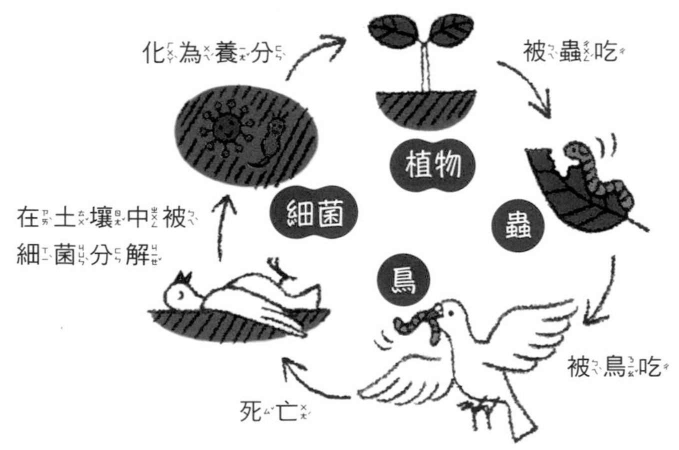

生物之間的關聯

大自然中的每種生物都跟其他生物之間有所關聯，並在這樣的關係中維持平衡狀態，而這種達成平衡的系統就稱作是「生態系」。一旦某種生物滅絕的話，大自然就會失去平衡，為生態系帶來相當嚴重的影響。

我們還能做更多！

● 一些經常能在水族館或動物園中看到的動物，其實當中有一部分也面臨了滅絕危機，讓我們一起來思考看看可以如何做好保育。

參考資料來源：IUCN國際自然資源保育聯盟〈紅色名錄〉

作者簡介

關 正雄　監修

日本空中大學客座教授、社會設計研究所客座教授、損害保險日本興亞營運公司的推動永續部門資深顧問。畢業於東京大學法學院，致力於社會責任相關的國際標準制定，以及促成永續發展的教育啟發。自身除了鼓吹經濟團體投入參與SDGs以外，同時也力求提升一般民眾、中央政府以及地方政府等對於SDGs概念的理解，在推動整體社會的參與方面也不遺餘力。主要的著作有《SDGs經營時代所需的社會企業責任》（第一法規出版）、《SDGs時代的合夥關係》（學文社出版）等。

編撰者簡介

WILL兒童智育研究所

專營幼兒、兒童的智育教材、書籍的策畫開發及編撰。自2002年開始參與阿富汗難民的教育支援活動，並於2011年日本311大地震後持續支援受災幼稚園。

主要的編撰作品有《垃圾上哪去了垃圾處理與利用》系列書籍（金星社出版）、《充分利用文具》系列書籍、《在科學及數學驗證中發現傳說故事的真相》系列書籍（福祿貝爾館出版）等。

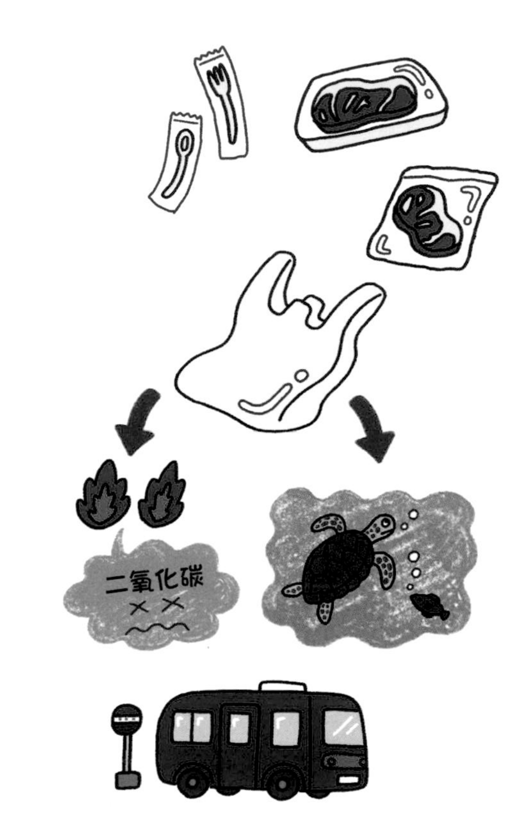

知識繪本館

生活中隨手就能達成的目標！

SDGs就在你身邊② 社區實踐篇

監修｜關 正雄　編撰｜WILL兒童智育研究所　譯者｜李佳霖
審訂｜何昕家（臺中科技大學通識教育中心副教授）
責任編輯｜詹嫣馨　特約編輯｜高淩華
美術設計｜李潔　行銷企劃｜王予農

天下雜誌群創辦人｜殷允芃
董事長兼執行長｜何琦瑜
媒體暨產品事業群
總經理｜游玉雪　副總經理｜林彥傑
總編輯｜林欣靜
版權主任｜何晨瑋、黃微真

出版者｜親子天下股份有限公司
地址｜台北市104建國北路一段96號4樓
電話｜（02）2509-2800　傳真｜（02）2509-2462
網址｜www.parenting.com.tw
讀者服務專線｜（02）2662-0332　週一～週五：09:00~17:30
傳真｜（02）2662-6048　客服信箱｜bill@cw.com.tw
法律顧問｜台英國際商務法律事務所 · 羅明通律師
製版印刷｜中原造像股份有限公司
總經銷｜大和圖書有限公司　電話：（02）8990-2588

出版日期｜2024年2月第一版第一次印行
定價｜360元　書號｜BKKKC258P
ISBN｜978-626-305-663-3（精裝）

訂購服務
親子天下 Shopping｜shopping.parenting.com.tw
海外 · 大量訂購｜parenting@service.cw.com.tw
書香花園｜台北市建國北路二段6巷11號　電話（02）2506-1635
劃撥帳號｜50331356　親子天下股份有限公司

國家圖書館出版品預行編目資料

生活中隨手就能達成的目標！SDGs就在你身邊②社區實踐篇/關 正雄監修；李佳霖譯. -- 第一版. -- 臺北市：親子天下股份有限公司, 2024.02, 40面；21×25.7公分. --（知識繪本館）
ISBN 978-626-305-663-3（精裝）
1.CST: 永續發展 2.CST: 環境保護 3.CST: 環境教育

445.99　112020898

MIJIKA DE TORIKUMU SDGs 2 MACHI DE DEKIRU SDGs
Supervised by SEKI Masao
Compiled by WILL Child Education Institute
Designed by Yoshi-des.(YOSHIMURA Ryou, ISHII Shiho)
Illustrated by CHO-CHAN SAITO Azumi
Edited by WILL(NISHINO Izumi, KATAOKA Hiroko)

生活中隨手就能達成的目標！

SDGs就在你身邊系列

監修
關 正雄

編撰
WILL
兒童智育研究所

1 家庭實踐篇

2 社區實踐篇

3 學校實踐篇

察覺提示

>>>

付諸行動

SDGs 的

消除貧窮

終結全世界的貧窮問題。

消除飢餓

讓受到飢餓所苦的人獲得糧食，並改善他們的營養狀況。

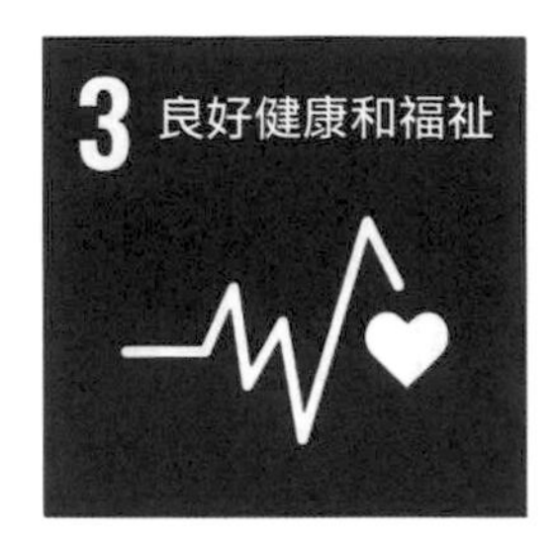

良好健康和福祉

所有年齡層的人都能過上健康且幸福的生活。

可負擔的潔淨能源

全世界所有人都能使用環保能源。

尊嚴就業與經濟發展

所有人都能從事具有成就感的工作，藉此推動經濟成長。

產業創新與基礎設施

在全界建設穩固的基礎設施，促進產業發展。

氣候行動

防止地球氣溫上升，消除氣溫上升所帶來的負面影響。

水下生命

保育海洋生態，讓海洋資源能夠存續。

陸域生命

保育陸域生態，讓豐富的大自然恢復生命力。